Animales asombrosos

Colas

Medición

I0877653

Dona Herweck Rice

¿De quién es esta cola?

La cola de un
mono es larga.

¿De quién es esta cola?

La cola de un cerdo es corta.

¿De quién es esta cola?

La cola de una ballena es pesada.

¿De quién es esta cola?

La cola de un lebistes es ligera.

¿De quién es esta cola?

La cola de un castor es ancha.

¿De quién es esta cola?

La cola de un ratón es estrecha.

¿Qué tipo de cola tienes tú?

¿Es larga, pesada o ancha?

Resolución de problemas

La mayoría de los perros tienen colas. Algunas son largas. Algunas son cortas. Haz dibujos para mostrar las longitudes de las colas de los perros.

Bo

Fifi

Koko

1. La cola de Bo es más larga que un crayón.
2. La cola de Fifi es más corta que un lápiz.
3. La cola de Koko es de 3 borradores de largo.

Soluciones

1. Los dibujos deben mostrar colas más largas que crayones.
2. Los dibujos deben mostrar colas más cortas que lápices.
3. Los dibujos deben mostrar colas de 3 borradores de largo.

Asesoras

Nicole Belasco, M.Ed.
Maestra de jardín de niños, Distrito Escolar Colonial

Colleen Pollitt, M.A.Ed.
Maestra de apoyo de matemáticas, Escuelas Públicas del Condado de Howard

Créditos de publicación

Rachelle Cracchiolo, M.S.Ed., *Editora comercial*
Conni Medina, M.A.Ed., *Redactora jefa*
Dona Herweck Rice, *Realizadora de la serie*
Emily R. Smith, M.A.Ed., *Realizadora de la serie*
Diana Kenney, M.A.Ed., NBCT, *Directora de contenido*
June Kikuchi, *Directora de contenido*
Véronique Bos, *Directora creativa*
Robin Erickson, *Directora de arte*
Caroline Gasca, M.S.Ed., *Editora superior*
Stacy Monsman, M.A. y Karen Malaska, M.Ed., *Editoras*
Michelle Jovin, M.A. y Sam Morales, M.A., *Editores asociados*
Fabiola Sepúlveda, *Diseñadora gráfica*
Jill Malcolm, *Diseñadora gráfica básica*

Créditos de imágenes: pág.10 Stephen J Krasemann/Getty Images; todas las demás imágenes provienen de iStock y/o Shutterstock.

Library of Congress Cataloging-in-Publication Data

Names: Rice, Dona, author.
Title: Colas / Dona Herweck Rice.
Other titles: Tails. Spanish
Description: Huntington Beach : Teacher Created Materials, 2019. | Series: Animales asombrosos | Series: Mathematics readers | Audience: K to grade 3. |
Identifiers: LCCN 2018052845 (print) | LCCN 2018052979 (ebook) | ISBN 9781425822880 (eBook) | ISBN 9781425828264 (pbk.)
Subjects: LCSH: Tail--Juvenile literature.
Classification: LCC QL950.6 (ebook) | LCC QL950.6 .R5318 2019 (print) | DDC 591.47--dc23
LC record available at https://lccn.loc.gov/2018052845

Teacher Created Materials
5301 Oceanus Drive
Huntington Beach, CA 92649-1030
www.tcmpub.com

ISBN 978-1-4258-2826-4
© 2020 Teacher Created Materials, Inc.
Printed in China
Nordica.082019.CA21901320